Zwischen Z

1

Das Buch

Was das ist? Findet es heraus. Eine Art Sammlung lyrischer Texte. Die Themen? Irgendwie alles und auch nichts.

Autorin

Navika Deol, geboren 1998 in Pforzheim, veröffentlichte 2018 ihr erstes Buch „Gedankenverloren“, nach welchem noch drei weitere folgten. „Zwischen Zuckerwatte und Wolken“ ist ihr fünftes Buch. Wenn sie nicht gerade mit der Uni beschäftigt ist, vertreibt sie sich ihre Zeit mit Lesen und auf ihrem Blog, den sie 2015 ins Leben gerufen hat und auf dem sie unter dem Namen *szebrabooks* über buchige Themen schreibt.

Buecher der Autorin

„Gedankenverloren“ (2018)
„Eine Handvoll Mondschein“ (2018)
„Bunte Graue Welt” (2019)
„For you, who stole my heart” (2020, in englischer Sprache)
„Zwischen Zuckerwatte und Wolken” (2021)

Zwischen Zuckerwatte und Wolken

Navika Deol

Bibliografische Information der Deutschen Nationalbibliothek:
Die Deutsche Nationalbibliothek verzeichnet diese Publikation in der Deutschen Nationalbibliografie; detaillierte bibliografische Daten sind im Internet über dnb.dnb.de abrufbar.

Deutsche Erstausgabe August 2021

Umschlaggestaltung: Navika Deol
Lektorat und Korrektorat: Isabel Grevenstein

Herstellung und Verlag: BoD – Books on Demand, Norderstedt
ISBN: 978-3-7543-0676-5

Fuer alle besonderen Menschen in meinem Leben.

Und wenn der Himmel auch nur
einen Herzschlag entfernt ist,
dann steh‘ ich trotzdem hier und
warte auf dich!
Aufgeben würd‘ ich unsren Schwur
nie und nimmer, egal, ob es mich –
nein, uns – eventuell nicht mehr geben wird …

Nur feine Worte kommen aus meinem Mund,
voll Hoffnung, voll Liebe …
werd‘ das alles nie vergessen,
was zwischen uns war, uns geprägt hat.
Die Erinnerung wird bleiben,
tief in meinem Herzen.
Gedanken an all die schönen Momente,
die wir gemeinsam, zusammen erlebt und
gelebt haben.
Mit offenen Armen werd‘ ich dich empfangen –
wenn du dann wiederkommst …
Vielleicht nicht als Geliebter, aber dafür
als alter Freund und gute Seele.

Manchmal denk‘ ich mir,
es zerreißt mich von innen.
Will weinen, will schreien, aber
am liebsten doch in diesen
warmen, weichen Armen liegen.
Aber dann wein‘ ich doch vor Kummer,
will nicht vergessen, und auch nicht
drüber hinwegkommen.
Will, dass es aufhört, dieser Kummer,
aber dich dennoch weiter lieben.

Versprich mir eins:

Vergiss mich nie.

Ich werd‘ immer sein

der hellste Stern

am dunkelsten Himmel.

Dich leiten, dich

schützen, dir

Geborgenheit geben …

in alle Ewigkeit.

Könnt‘ nicht tiefer fallen …

tiefer als in deine Arme –

geht eh‘ nicht.

So viel Platz zwischen Himmel und jetzt,
diese knappe, kurze Zeit, die uns bleibt.
Sollten wir sie nicht genießen?
In vollen Zügen, sie voll Abenteuer und
Erlebnisse packen, um diese dann
mit uns zu nehmen, sie dann zu
verinnerlichen und im Kopf erneut zu leben.
Sollten wir nicht im Paradies aufwachen?
Das Paradies, das wir selbst erschaffen haben,
der Ort, der uns glücklich macht und
an dem die Sonne niemals untergeht.
Sollten wir nicht einmal die Augen schließen?
Und alles hinter uns lassen, egal ob
der hellste Stern am Himmel nun erlischt …
Sollten wir nicht anfangen, nach Sternen zu greifen?
Es ist zwar so viel Platz zwischen Himmel und hier,
aber was soll's?
Erst, wenn wir nach ihnen greifen, sehen wir,
dass es doch gar nicht so schwer ist,
sich gehen zu lassen und diese
kurze Zeit zwischen Himmel und jetzt
in vollen Zügen zu genießen!

Hallo, hörst du mich?
Mit deinen Gedanken so weit entfernt, also so verdammt weit entfernt. Bist allein in deiner versunkenen Welt und verdrängst alles um dich herum. Alles Mögliche. Deinen Dozenten, der versucht dir irgendwelche Formeln zu erklären. Deinen Vorgesetzten, der dir von seinem tollen Wochenende erzählt – immerhin hat seine ach so tolle Tochter gerade geheiratet und jeder muss davon erfahren! Ach ja, und dann wär' da noch deine Mutter, die dich anmotzt – irgendwas von Müll und deinem Zimmer sagt. Aber eigentlich hörst du schon gar nicht mehr zu. Hast irgendwann abgeschaltet, weil du keine Lust auf diese Kackscheiße hast. Irgendwie ist das schon so ein bisschen doppelt gemoppelt, also dieses Wort, Kackscheiße. Aber sind wir mal ehrlich, in manchen Momenten trifft dieses Wort einfach zu. Es ist nahezu perfekt, um deine Situation zu beschreiben.
Aber jetzt einmal zurück zu deinen Gedanken, die ja so weit entfernt sind. Schließlich brennen alle darauf, zu erfahren, was in deinem Kopf eigentlich so vor sich geht und wieso dir diese ganzen Menschen so egal sind. Ich würde ja sagen, dass Menschen eben nervig sind und man keinen Grund braucht, um mit seinen Gedanken abzuschweifen. Zumindest bei manch einer Person, die dann irgendwann anfängt, in kleinstem Detail über irgendwas zu erzählen, was dich nicht interessiert. In solchen Momenten lohnt es sich über seine nächste Mahlzeit nachzudenken – das ist nämlich wesentlich spannender.
Aber was rede ich hier um den heißen Brei herum. Es ging gerade um dich und das sollte es auch weiterhin. Auf jeden Fall

hattest du einen guten Grund, mit deinen Gedanken abzuschweifen. Denn da gibt es diese eine Person in deinem Leben. Diese eine Person, die dir eben auch den letzten Gedanken abverlangt, weil du nonstop an diese Person denkst. Unter der Dusche, während des Frühstücks, in der Bahn – neben all den lästigen Menschen – auf dem Weg zum nächsten Supermarkt. Selbst auf der Toilette lassen dich die Gedanken an diese Person nicht los. Oft versuchst du sie abzuschütteln, aber dann gibt es diesen kleinen Teil deines Gehirns, der meint: „Wieso nicht? Du fühlst dich doch prima dabei." Denn immerhin verursacht die Person so ein Gefühl in deiner Magengegend. Nicht so wie bei Magen-Darm, denn da geht es dir ja echt scheiße. Sondern so ein schönes Gefühl. Kribbeln im Bauch oder Schmetterlinge im Bauch nennt man das. Dabei ist die Vorstellung von Schmetterlingen im Bauch irgendwie verstörend … oder?

Zurück zum Thema. Zu der Person, die deinen Kopf so verdreht. Es gibt sogar Worte dafür!

Schwarm, Love-Interest und mein Favorit unter den Worten: Crush.

Am liebsten würdest du ja überall herumrennen und allen von deinem Crush erzählen. Aber es ist ja nicht so einfach, denn dein Crush könnte ja herausfinden, dass du dauerhaft solche Gefühle und Gedanken hast. Oder noch schlimmer: Die Person könnte herausfinden, dass du sie gestalkt hast – oh ich entschuldige mich, du hast über sie recherchiert. Weißt jetzt, dass die Person 2014 auf Mallorca im Urlaub war und dass die Tante dritten Grades ja nur um die Ecke wohnt. Das sollte die Person nun echt nicht erfahren, das wäre wohl dezent – aber nur ein kleines bisschen – merkwürdig, wenn du die Tante dritten Grades kennst, aber die Person nicht einmal von deren Existenz weiß.

In solchen Momenten sollte man hoffen, dass du nicht irgendwann beschließt der Person einen Besuch abzustatten. So einfach aus dem Nichts. In schwarz gekleidet, nachts bei Mondschein, schön versteckt in der Hecke und natürlich mit dem Fernglas in der Hand, damit du schön ins Fenster blicken kannst. Wäre das dann eigentlich immer noch Recherche?

Damit wären wir auch übrigens wieder am Anfang der Geschichte. Ich hoffe nämlich sehr, dass du mich hören kannst, denn dein Dozent, dein Vorgesetzter und deine Mutter nerven langsam. Und wenn ich schon dabei bin, darüber zu reden, was mich nervt: würdest du bitte aus meinem Vorgarten verschwinden? Das wäre sehr freundlich, denn es ist mir super unangenehm, abends heim zu kommen und zu sehen, dass jemand in schwarz gekleidet, bei Mondschein, in der Hecke sitzt – in meiner Hecke – und mit einem Fernglas mein Zimmer beobachtet, in dem ich mich offensichtlich nicht befinde. Denn ich stehe ja neben dir.

Ich fühl‘ mich zwar geschmeichelt, denn du stehst auf mich. Und es ist auch schön zu wissen, dass meine Tante dritten Grades bei dir um die Ecke wohnt. Wir treffen uns morgen tatsächlich auf Kaffee und Kuchen. Ich bin dir auch sehr dankbar, dass du – mehr oder minder – für diesen Kontakt gesorgt hast, aber tu mir einen Gefallen, ja? Bitte verlass‘ umgehend mein

Grundstück oder ich muss dich wegen Hausfriedensbruch anzeigen. Schon schlimm genug, dass du mich so schon gestalkt – ich entschuldige – über mich recherchiert hast.
Ach ja, eine kleine Anmerkung noch: Dein Gefolge kannst du gerne mitnehmen. Denn die Formeln deines Dozenten, die Hochzeitserzählungen des Vorgesetzten und deine meckernde Mutter möchte ich ehrlich gesagt auch nicht hier haben. Und bevor ich es vergesse: Ich mag dich auch. Aber eher so auf die Art wie meine beste Freundin Käfer mag. Sie liebt es, schreiend vor ihnen wegzulaufen.

In was für einer Welt leben wir denn?
Eine Welt, in der Instagram Abonnenten das Ein und Alles sind, oberflächliche Kommentare die Welt bestimmen und gar auch zu Tränen rühren. Das virtuelle Leben scheint wichtiger. Die Entscheidung zwischen verschiedenen Hashtags ist wohl wichtiger geworden als alles andere – und hat uns womöglich verdorben.
Eine Welt, die von grau bestimmt ist. Betonklötze, die das letzte, auch das allerletzte Grün, ersticken lassen und zurück bleibt ein klägliches Meer aus Stein. Demonstrierende Jugendliche, sogar Kinder, die so sehr um ihre Zukunft bangen, dass sie sogar Bildung aufs Spiel setzen. Manch einer mag es kritisieren, aber schon mal drüber nachgedacht, was dieses klägliche Betonmeer mit uns macht? Es ist als würde ein Säugling die eigene Mutter ersticken. Eine Welt, in der ein Stück Plastik mehr Wert hat als alles Schöne, Grüne auf der Welt. Dieses Stück Plastik – auch bekannt als Kreditkarte – bringt dir zwar viel, aber das Grün bringt es auch nicht zurück. Aus tiefem Blau wird mattes Grau. Der kleinste Fisch ringt um sein Leben, kämpft und kämpft immer weiter … bis er schließlich den Kampf verliert. Mit diesem kleinen Stück, das wir achtlos zu ihm hinwarfen. Denn eine kleine Sache wird wohl nicht schaden. Denn das macht ja kaum einer und wenn man es selbst macht, dann ist es doch nicht schlimm, oder? Aber was, wenn auch dein Nebenmann oder deine Nebenfreu so denkt, was, wenn es jeder macht und keiner achtgibt?

Eine Welt, in der die Farbe der Haut alles bestimmt. Geschlechter – vor allem dieses eine – die Spitze von allem bilden. Als Minderheit hast du schon verloren, aber was ist mit Aufstehen und Kämpfen? Die einen tun es und sagen: „Gemeinsam kommen wir dagegen an." Die anderen verschließen die Augen. Weitere wiederum akzeptieren ihr Schicksal und meinen: „Wie komme ich nur dagegen an? Es bringt doch sowieso nichts. Sie werden ihre Meinung so oder so nie ändern." Mit „sie" sind die an der Spitze gemeint. Jene, die in ihrer Blase leben, in ihrer Glitzerwelt, in der ihnen alles, beziehungsweise jeder andere Mensch egal ist. Was zählt, sind sie selbst.

Wir befinden uns in einer Welt, in der ein Mensch nicht er selbst sein kann. Gequetscht in die Schubladen leben wir vor uns hin. Hören auf, zu hinterfragen, hören auf, über den Rand der kleinen Schublade zu blicken. Keiner schaut heraus und sieht die leeren Schubladen, die nur darauf warten, gefüllt zu werden. Keiner sieht die offenen Möglichkeiten, die zur Verfügung stehen. Manch einer sieht zwar die anderen Schubladen, aber nicht, dass dahinter noch mehr ist. Dass sogar ein ganzes leeres Zimmer darauf wartet, gefüllt zu werden. Dass die ganze Welt nur darauf wartet, endlich gesehen zu werden. Dass dieser eine Mensch nur darauf wartet, endlich allen erzählen zu können, was wirklich in ihm steckt und wer er wirklich ist.

Wir leben in dieser Welt, die so bunt und schillernd wie nie sein könnte. Aber stattdessen bevorzugen wir Grau und andereTrauerfarben. Statt einem schillernden Regenbogen wollen wir große Klötze aus Beton. Wir könnten so viel Schönes aus dieser

Welt herausholen, so viele Dinge ändern – zum Besseren. Aber wir lassen sie lieber weinen. Diese Welt. Unsere Welt. Und am Ende lacht keiner. Außer dieser gemeinen Stimme in unserem Hinterkopf, die schelmisch grinsend spricht: „Ich hab's dir doch gesagt!"

Lass uns den Rhythmus finden,
um endlich dahinzuschwinden.
Einen weiten, breiten Weg gehen,
um doch noch am Ziel zu stehen.
Immer weiter und weiter zieht es uns,
hält uns enger zusammen, trotz des Schwungs.
Wolken, die versperrten uns die Sicht,
ersetzt nun durch frische Gischt.
Trotz allem bangen wir wieder und wieder,
durchleben all die schrecklich Lieder.
Und dennoch frag‘ ich mich, trotz allem:
Warum stehst du noch hier und suchst nach
gemeinsamem Rhythmus?
Wir verloren schon längst unseren gemeinsamen Algorithmus.
Bewegen uns zu auf verschiedene Ziele,
verlieren selbst die einfachsten Spiele.
Dennoch streben wir immer noch
nach gemeinsamem Rhythmus. Doch
was ist, wenn ich nicht mehr möchte
und dich, wenn auch nur ganz sachte,
endlich mal vergessen will?
Im kleinen Kämmerchen, ganz still.
Was machst du dann?
Fragst du immer noch nach einem Wann?

Kurzweilig.

Das sind sie manchmal,

unsere Worte.

Zweimal, dreimal,

besuchen wir Orte,

wenn auch nur eilig.

Ich wünsch' mir, bei dir zu sein,
in deine grünen Augen zu schau'n.
Wünscht', du wärst mein
und nicht bei all den and'ren Frau'n.

Mein Herz fasst das deine,
zieht mich vollkommen ins Reine.
Eng umschlungen wär' ich mit dir.
am liebsten an dem schmalen Pier.

Beobachte dich manchmal im Stillen und
seh' die Grübchen, die zieren deinen Mund.
Möcht' diesen auch manchmal küssen,
jedoch ohne dich zwingen zu müssen.

Ich frag' mich manchmal wirklich:
siehst du mich mit gleichen Augen?
Oder bin ich ersichtlich
eine von denen, die für dich nichts taugen?

Es fühlt sich so an, als würde ich aus einem Traum erwachen.
Die Welt plötzlich mit anderen Augen sehen.
Und da frag ich mich: hatten sie jemals Recht mit ihren Worten?
Oder waren es nur leere Aussagen, um die Kontrolle zu behalten?

Und eventuell ist es nur
ein Name, den du
mit all den Gefühlen
verbindest!
Und wenn es nur
ein einzelner Name ist,
verbunden ist er mit dieser
einen Person.
Und diese eine Person
ist vielleicht alles,
was du jemals im Leben
gebraucht hast!

Wenn wir uns nur näherkommen könnten,

ja, du und ich, wir beide …

wären dann meine innersten, tiefsten Gefühle

endlich erwidert, von dir wahrgenommen?

Wir könnten alles sein, ja, du und ich …

wär' da nicht dieser Spalt –

diese Schlucht voll Hindernisse, die

uns immer im Weg steht …

wären da nicht die anderen, die

stets zu sagen pflegen, dass wir nie,

ja, nie und nimmer, sein können.

Tick tack läuft der Zeiger an der Uhr. Stets weiter und immer weiter. Zeit vergeht. Jahreszeiten ziehen vorüber. Der Sommer geht und bunte Blätter schmücken die Welt. Eisig vergehen weitere Monate und kümmerlich sieht man das knorrige Bäumlein. Versteckt hinter großem Geäst, sitzt leise und verkümmert eine zierliche Gestalt. Zitternd im eisigen Wind, durchnässt von Kälte. Frostbeulen und Eiszapfen sind zu sehen. Der Atem, nur noch schwach zu hören, kaum mehr in der Eiseskälte zu sehen. Bis sie gefunden wird, ist es wohl zu spät. Nur noch ein starrer Blick ins Nichts und Reglosigkeit.

Ah, so schöne Augen, die dein Gesicht zieren.
Lebendig wie der Wald um uns herum,
der voll tiefem und seichtem Grün
die Welt still steh'n zu lassen scheint.
In dünnen, aber leichten Schlieren,
der Nebel schreitet – und sei's drum
die schönen Felder blüh'n.
Wie sehr ich's mir wünscht': wir beide vereint.

Trotz der vielen Luft
kaum Raum zum Atmen.
Bin lebendig, aber
irgendwie auch nicht.
Diese große Kluft
zwischen uns, immer wieder.
Kein Funken Licht,
auch kein keimender Samen.

Gedanken wandern,
lassen dich nicht schlafen.
Dennoch schläfst du,
oft am Tag.
Aber die Gedanken wandern weiter
Und reichen oft sehr weit.

Fruehling

Wie sehr hab‘ ich dich vermisst,
deinen süßen, lieblichen Duft,
der sich ausbreitet in frischer Luft –
das hab‘ ich schon immer gewusst.
Diese Sehnsucht nach dir,
die sich festsetzte in mir –
kaum auszuhalten,
ließ mich innerlich spalten.
Doch jetzt bist du endlich da,
benebelst erneut meine Sinne.
Mein Herz geht auf und ich sag‘ „ja“ –
„Ja“ zu der Frage, ob ich dein Herz gewinne.

Denk an mich,

vergiss mein nicht!

Diese eine Nacht

hat alles verändert!

Du und ich

sind nicht mehr dieselben.

Unser starker Schwur

uns hat gebunden.

So bitte ich dich:

Denk an mich,

vergiss mein nicht!

Manchmal ist es zu spät.

Zu spät, manche Dinge zu sagen,

sich endlich zu wagen,

die Worte auszusprechen.

D'rum tu es jetzt,

im Hier –

bevor es wirklich zu spät ist.

Dich zu lieben,
mich zu verlieren
ist das Schönste der Welt.
Dich zu hassen,
dein Verlassen
mein größter Untergang.

Lass die Hülle fallen.

Die Hülle, die all das

versteckt,

das in dir steckt.

Zeig es ihnen,

dein wahres Ich.

Sei stolz,

stolz auf das,

was du geschafft hast.

Einst standen wir,
eng umschlungen,
nah beieinander.
Doch jetzt sind wir
fern und jede kleinste,
kleinste Berührung
bringt Todesschmerz.

Unsere Geschichte hat uns weit getragen,

nun liegt es an uns, den nächsten Schritt zu wagen.

Du und ich, wir beide für immer?

Nichts lieber als das, trotz wenig Hoffnungsschimmer.

Nachts philosophieren,
sich in Gedanken verlieren.
Jeder kennt es – vielleicht,
wenn du ein Ziel erreichst,
hört es endlich auf
und die Realität nimmt ihren Lauf.

So tief,

tiefer als der Meeresgrund,

schwärzer als das schwärzeste Loch:

so ergeht es eines Tages jedem.

Und es liegt nicht nur an uns,

diesem Dunkel zu entkommen

und endlich das Licht zu finden.

Gebrochene Engelsflügel,
sie nehmen all den Hoffnungsschimmer.
Schließ' nur die Augen,
und du siehst sie:
blutdurchtränkte Engel mit Narben.
Narben und Wunden an den Stellen,
an denen einst die Flügel waren.
Dennoch, trotz allem Schmerz,
verbreiten sie reinste Glückseligkeit,
lindern den Schmerz anderer, nehmen
all die Last auf sich,
sorgen für harmonisches Miteinander.
Denn wahre Engel brauchen keine Flügel.

Und im Endeffekt

Sind wir nur leere Hüllen,

Die gefüllt werden wollen –

Mit Liebe und Glückseligkeit.

Was, wenn das Hier und Jetzt
nur eine Illusion ist,
ein Traum, und
das echte Leben noch wartet?
Was, wenn all das
nur eine kleine Prüfung ist,
um zu sehen, ob wir
für das Große geschaffen sind?

Frei zu sein,
ein Traum,
den viele hegen.
Wär‘ ich nur dein,
stünd‘ ich wohl kaum
im strömenden Regen.

Deine Anwesenheit macht mich so high,
lässt mich schweben auf Wolke sieben.
Selbst, wenn du nicht da bist:
Der Gedanke an dich lässt mich fliegen.
Engelflügelgeflatter und Schmetterlingstanz
erfüllen meine trüben Sinne.
Kann mir kaum vorstell'n, wie's wär',
wenn ich dein Herz gewänn'.

Unter klarem Himmel

Vielleicht brauchen wir uns
im ewigen Lied des Lebens.
Tanzend beieinander
durch die Straßen des Glücks,
Seite an Seite mit
goldenem Sternstaub bedeckt,
steh'n wir wieder
unter klarem Himmel …
warten drauf, dass
der Regen der Liebe
endlich fällt nieder.

Worte, die mich verzaubern,
in fremde Welten entführen.
Buchstaben verstreuen die Magie
aus schimmernden Orten.
Wie gern ich nur dort wär‘,
an all den Stellen …
Aber darf nicht vergessen,
wie graziös und geheimnisvoll
unsere Welt ist –
und auch noch voll mit Wundern.

Mit offenen Armen werd‘ ich dich empfangen,
immer und immer wieder.
Selbst nach all den Jahren,
die wir am eigenen Leib –
voll Leid – erfahren haben …
Stets werd‘ ich dich
willkommen heißen und in meine
warmen Arme schließen.
Auch deine größten Fehler seien dir verzieh’n.
denn trotz all der Veränderungen
wird unser Blut uns immer verbinden.

Manchmal reicht
auch der kleinste
Funke, um
das größte Feuer
zu entfachen.
Und manchmal
reicht
auch ein winziger
Tropfen, um
Hoffnung
endgültig
zu ersticken.

Laute Schreie,
die die scheinbare
Idylle stören.
Aber, was, wenn sie
von einer Person stammen?
Einer Person,
die nicht nur selbst schreit …
sondern eine Person,
deren Seele
mit ihr schreit.

Was, wenn wir –

hier unten –

die Sonne

nicht mehr seh'n?

Getrieben von Grau

ohne Farben dieser Welt …

ohne Lebendigkeit …

nur als Hüllen

unserer selbst!

Für immer und immer und immer

wollten wir Eins sein …

Doch jetzt?

Jetzt fällt alles auseinander.

Was bleibt, ist keine Ruine,

nein!

Nur Schutt und Asche.

Und auch wenn alles
irgendwann ein Ende hat:
Wieso nicht das Beste draus machen?
Wieso nicht im Moment leben und
alle Hemmungen verlieren?

Hey, du!

Ja, genau du:

lass den Kopf

niemals hängen.

Präsentiere dich

als

würdest du

eine Krone auf

deinem Haupt tragen und

zeig allen,

was in dir steckt.

Irgendwann geht alles unter.
Und dann,
dann werden wir uns fragen,
wieso wir die Chancen damals
nicht ergriffen haben …
Also tu es;
Jetzt;
Hier!
Mach etwas daraus, damit
du am Ende
nicht bereuen musst.

Was mir bleibt, wenn du verschwunden bist?

Einiges.

Vielleicht auch nichts.

Mag sein, dass es die ganze Welt ist

oder aber

ein Hauch von Trümmern, getragen vom Wind.

Mein Herz zieht es zusammen.

Allein die Gedanken an dich

die Stille verächtlich zerreißen.

Keine fliegenden, funkelnden Schmetterlinge …

vielmehr ihr Schatten,

der verfolgt

bis in endlose Leere.

Manchmal brechen wir.

Vor Druck.

Vor Gefühlen.

Wahrhaben will es keiner –

Denn am Ende sind nur

Kreaturen, die nach Gefühl lechzen.

Finde mich, flüsterte der Fuchs.
Im Dunkel damals
diese Worte fielen.
Meine Worte.
Denn vielleicht bin ich der Fuchs,
listig wie eh und je –
und dennoch allein auf dieser Welt.

Das Ende ist nah.

Atem geht schneller –

schneller denn je.

Eins, zwei …

Scharfes Lufteinziehen.

Drei, vier …

Ein glasiger, letzter Blick.

Fünf … nein, stopp!

Aus und vorbei.

Starr wie eh und je,

liegen wir beide hier,

Hand in Hand,

ja, du und ich.

Das Lyrische Ich, das von der Liebe sprach

Sag mir eins:
Bin ich alles für dich?
Selbst dein kleinster Gedanke an mich
Wie ein Tropfen besten Weins.

Fühl mich dir verbunden,
Ohne jeglichen Kontakt zu haben.
Könnt‘ in tiefsten Gedanken graben,
Und trotzdem bleibt er verschwunden.

Wer er ist?
Na, dieser Augenblick,
Der mir gab diesen Kick:
Wirklich zu sehen, wer du bist.

Es gibt Situationen,
Da möchte‘ ich dich berühren,
Deine Lippen auf meinen spüren,
Denn du bist der eine von Millionen.

An anderen Tagen
Will ich dich hassen,
Alle Finger von dir lassen,
Es niemals, ja, niemals wagen.

Nicht einmal in tiefsten Träumen
Will ich bei dir sein –
Ich dein und du mein?
Nein, muss dich aus mein' Gedanken räumen.

Nur Minuten später fliegt schon
Der erste Schmetterling hier
Oder eventuell doch am schmalen Pier?
Ach, ich sag's dir einfach in schlichtem Ton!

Ich lieb' dich,
Hass dich.
Mag dich,
Verachte dich.
Begehre dich,
Verspotte dich.

Es gibt einfach zu viel,
Das ich dir sagen möcht',
Aber wagen tu ich's nicht echt,
Denn es kann ja nur sein ein Spiel.

In Bezug auf dich und deine Art
Verspüre ich vieles und nichts zugleich.
Fühl mich von Gefühlen wahnsinnsreich,
Alles ist so verdammt hart!

Tausend Gefühle nehmen ihre Bahn,
Nehmen den Weg zu mir,
Im Jetzt und Hier …
Treiben mich in den Wahn!

Alles kommt zusammen,
Macht mich kaputt, pass auf!
Ist ein Runter und ein Rauf.
Ach, wär'n wir doch beisammen.

Wär' das nicht schön?
So wunderschön?
Unglaublich schön?
Denn dann wär'n du und ich, ja, wir, schön?

Es wär' ein Nehmen und Geben
Und Geben und Nehmen
Und Nehmen und Geben,
Ja, verdammtes Geben und Nehmen!

Ich lass' die Lust raus,
Warte auf das Aus.
Geh weit hinaus,
Weit weg von diesem Haus.

Das Haus, in dem du dich befindest,
In dem ich dich so gern betrachte,
Von außen beobachte …
Und du für mich empfindest?

Leider nein.
Das lass sein.
Immerzu nein.
Es kann niemals sein.

Rauf und runter wanderst du die Treppen.
Ich in der Hoffnung, dass du mich suchst,
Vielleicht unsere erste gemeinsame Reise buchst?
Doch halt, gehör ich wohl zu den letzten Deppen.

Denn dein Blick galt nie mir,
Nicht einmal dir,
Und schon gar nicht ihr,
Na, die hinter mir.

Es war schon immer das Verlangen nach mehr.
Dein Verlangen,
Als größeres Erlangen,
Mit Endziel: ein Haus am Meer.

Du sagst: „Erzähl mir keine Mär,
Ich glaub wohl, hier steppt der Bär!“
Brachst mein Herz entzwei,
ohne, dass ich zählte bis drei.

Wie zähe Tropfen,
Trauriger Hopfen,
Bricht es nun,
Was kann ich nur dagegen tun?

Trübsal blasen,
Liegend auf dem Rasen?
Nicht nach meinem Geschmack,
Denn da wär‘ ich nur ein Wrack!

Aufsteh’n
Staub abklopfen,
Weiter geh’n,
Zieh den Stopfen.

‘nen Zimmerbrunnen
Braucht nun wirklich keiner.
Gefüllte Rinnen,
Geht’s noch feiner?!

Ich sag auf Wiederseh'n
Bis wir uns wieder seh'n.
Eventuell nie mehr wieder seh'n,
Kein Gedanke an Wiederseh'n.

Mein Herz,
Zwar erfüllt von Schmerz,
Doch was soll's?
Ich hab' noch meinen Stolz!

Ein Feuerwerk von Gefühlen,
Braucht's nur kurze Zeit,
Den Bach hinunterzuspülen …
Jedoch bin ich bereit.

Für was?
Na, neuen Spaß!
Neue Wunder,
Vielleicht auch runder?

Ein neuer Tag bringt neues Glück,
Nicht sagt man umsonst:
Schau nie mehr zurück –
Auch nicht, wenn du dich sonnst.

All diese Gefühle mögen zwar
So vollkommen erscheinen,
Es eventuell auch ernst meinen,
Doch stellt man sie im Nachhinein dar …

Ja dann?
Was ist dann?
Gibt es ein Dann?
Was ist dieses Dann?

Vielleicht ein kleiner Kampf?
Zwischen Herz und Verstand?
Dass ich nicht mehr die Welt verstand?
Und macht Sinnloses zum Kampf?

Alles kommt und geht,
Aber merk‘ dir hier,
Eines immer bei dir steht,
Selbst am schmalen Pier:

Du und alles, was an dir, in dir, ist.
Schließlich bist du, was du bist.
Manchmal bringt halt jemand was durcheinander.
Und du wünschst dir ein Beieinander.

Trübsal blasen ist von gestern,
Spring über deinen Schatten,
und auch die kleinsten Matten,
Verein dich mit Seelenschwestern.

Liebe ist nicht alles und
Alles ist auch nicht Liebe.
Auch ich fall‘ auf den Mund,
Verlass mich auf meine Triebe.

Denn schließlich dacht ich auch mal:
„Er ist mein Ein und alles!“
Doch hätt‘ ich heut‘ die Wahl,
Würd‘ eher wählen ein Fass, ein volles.

Mit neuer Gewissheit
Betrat nun ich die Welt.
Ein Hoch auf Gesundheit,
Die heut ist mein wahrer Held.

Und da steht er nun,
Den ich wohl ganz übersah,
Als ich letztes Mal war dem anderen so nah.
Was soll ich nun tun?

Ich schätze mal, es beginnt von vorn,
Diese wilden Gefühle,
Selbst bei dieser Mühle,
In jedem kleinsten, allerkleinsten Korn.

Selbst der kleinste Gedanke an ihn
Löst aus ein wahres Feuerwerk,
Sodass ich kaum was anderes merk‘,
Und mich gezogen fühle hin.

Ob er wohl fühlt, was ich fühle?
Ich seh‘ ihn nur von Weitem und mein Herz geht auf,
Alles nimmt nun wie gewohnt sein‘ Lauf!
Nun ja, eventuell nicht die Stühle.

Doch habt ihr gemerkt?
Ich reime wieder umarmend,
Und das auch am Abend.
Ob daran schon jemand werkt?

Was dies alles hat zu bedeuten,
Darüber könnt‘ man philosophieren,
Lieder schreiben, es probieren …
Getan wird’s schon von verschiedenen Leuten.

Ich hingegen
Wird‘ mich widmen
Den einzig wahren Rhythmen
Auf all den Wegen.

Meinem Herzen zu folgen, und
Mich in seinen sanften Zügen zu wiegen,
Denn manchmal wird auch wahre Liebe siegen,
Wenn nun trifft Mund auf Mund.

Sanfte Glückseligkeit,
Die nun vom Himmel regnet,
Unsere verschränkten Hände segnet,
Und vom Winde verweht die Einsamkeit.

Hinter dir auf deiner Vespa,
während der Wind erfrischend
unsere Körper umspielt.
Meine Arme deinen Körper umschlingend,
mein Kopf auf deiner Schulter ruhend und
durch die kleinen Gassen düsend,
wir beide, ja, nur du und ich.
Die Sonne am fernen Horizont
langsam unterzugehen bahnt und
wir immer näherkommen.
Die kühle Meeresbriese liegt
schon längst in der Luft,
als wir betreten den weichen Sand.
Deine Hand in meiner,
Strahlen auf unseren Gesichtern.
Laufen geradeaus,
stets der Sonne entgegen und warten
bis das Sternenzelt über uns erwacht.

Sicher vor dem Sturm will ich sein,
der noch in mir ruht, aber
jederzeit auszubrechen scheint.
Es ist dieser Sturm voller Gefühle,
Gefühle, die ich empfinden will und
Gefühle, von denen ich will, dass
andere sie für mich empfinden.
Will mal in den Arm genommen werden,
aber eventuell auch angehimmelt.
Ich wünsch‘ mir tatsächlich mal, dass
jemand eins dieser Gedichte über mich schreibt.
Wie es all die Dichter für
diese gewisse Person tun.
Die Person, die sie so sehr mögen, dass
sie nicht aus ihren Köpfen verschwinden mag.
So jemand möcht‘ ich auch sein –
für wen anders natürlich,
Denn manchmal hab‘ ich das Gefühl, dass
nur ich so bin, nur ich so denke und dass
nur ich all die Dinge schreibe.
Diese Dinge, die sowieso keiner zu lesen bekommt,
weil sie aufgeschrieben, versteckt liegen und nur
ich sie sehen kann.
In Erinnerungen an all die
intensiven Gefühle schwelgen und auch
über mich selbst und mein Ich lachen können.
Schon seltsam, oder?

Irgendwie ja nicht, denn
denkt nicht jeder irgendwann so?
Zumindest bekommt man das gesagt,
aber ob es wirklich stimmt?
Keine Ahnung, denn
woher soll ich denn wissen, ob jemand
ausgerechnet mit mir über seine tiefsten,
allertiefsten Gefühle spricht?
Wenn ja, dann sag es mir.
Sag mir, dass du es auch ernst meinst und
nicht nur so tust, als ob.
Und, wenn wir schon mal dabei sind, dann
will ich mir noch etwas vom Herzen sprechen.
Solltest du schreiben, über mich und
deine Gefühle zu mir, dann trau dich.
Denn nicht nur ich will sicher sein
vor dem Sturm und auch gehalten werden.
Vielleicht bist du ja genauso – vielleicht
denkst du dir:
„Hey, all das empfinde ich auch!“
Vielleicht ist es aber nur meine Wunschvorstellung.
Eine Wunschvorstellung, die mich
vieles glauben lässt … wie zum Beispiel –
wahre Liebe oder so, wenn es die gibt –
halt nein! Es gibt sie, irgendwo da draußen –
daran glaub ich ganz fest.
Sonst würde nicht die halbe Welt drüber schreiben,

drüber singen, drüber tanzen oder gar

drüber sprechen … oder?

Requiem

Wenn wir tanzend durch die Straßen zieh'n,
ja, du und ich,
dann fällt Glückregen auf uns nieder und
wir strecken unsere Gesichter entgegen.
Es fühlt sich alles so vertraut an,
deine Haut, deine Haare, deine Lippen,
wenn du deinen Arm um mich schlingst,
mich an dich ziehst und
deine sanften Worte mein Ohr erreichen.
Ich lass mich gehen,
meine Gedanken schweifen und
lehne mich tief in deine Arme.
Wir spüren die Sehnsucht,
die uns beide verbindet und
dennoch auseinander treibt.
Wie in all den kitschigen Filmen
möcht ich immer an deiner Seite sein und
dich auch immer an meiner Seite haben.
Kaum zu glauben, dass all dies
eigentlich hinter uns liegt und ich
inzwischen nur noch in Erinnerungen
schwelgen kann.
Denn wenn ich aufwache, ist deine Seite kalt,
du bist fort – für immer.

Was bleibt, sind deine Erinnerungen und
dein lachendes Gesicht, das
die grüne Wand schmückt und
deine liebsten Worte, gemeißelt in Stein –
so kalt ist er, dieser Stein, wie
es auch einst dein Körper war,
kalt wie deine liebste Jahreszeit.
Nur war da kein schöner Schnee oder
deine wärmende Hand –
es war wie andere es nennen,
Erlösen von Leid und wie ich es nenne,
deine Befreiung von dieser Maschine, die
du niemals akzeptiert hattest.
In mir hinterließ es Leere, Leere, die
Begann, als alles anfing, als
die Maschine Teil von dir wurde.
Und Schmerz.
Du hattest mehr davon, aber
Habe ich es ertragen, dich so zu sehen?
Wohl kaum, denn sonst wären sie nicht mehr da …
… diese Leere und der Schmerz.
Ob ich jemals diese Leere füllen kann?
Ich weiß es nicht.
Ich weiß vieles nicht, aber eines weiß ich:
Eines Tages, ja eines Tages,
werden wir wieder vereint sein.

Einen Wunsch frei.
Das waren deine Worte,
an einem dieser Orte.

Traumtaenzer

Silberner Schimmer im
glänzenden Rauschen der Nacht.
Fast wie Goldregen,
nur verschwommen, sagt man.
Leichtfüßig
sieht man sie ihre Tücher schwingen,
die, geblasen von seichtem Wind,
wie von Geisterhand
zu schweben scheinen und
an sanft wiegende Meereswellen erinnern.
In blau, rosa, lila, grün sieht man sie,
tanzend, lachend, schwebend, weinend.
Mal auch kreischend, brüllend, bebend.
Geschwungene Lieder spiegeln die
gewundenen Flügel.
Seicht tragen sie die Körper,
kaum zu sehen und dennoch
all die neugierigen Blicke auf sich ziehend.
Bei Vollmond klar zu sehen,
erzählt man, und in dunkelster Nacht
nur Silhouetten fühlend.
Gänsehaut erzeugendes Gefühl,
welches auch wiegt in Geborgenheit –
wer wir sind, fragst du.

Traumtänzer, sag ich.
Dich begleitend durch Gut und Böse,
schützend die Hand um dich legend.
Im Schlaf, bei Nacht,
in Sicherheit wiegend.
Ihre Berührung die reinste Melodie
und die Stimmen ein Klang,
der bis in die Ewigkeit währt.
Komm, nimm meine Hand und
sei Teil dieser Reise.
Tanzend durch die Nacht,
unsere Flügel schwingend.
Komm mit mir und tanz durch Träume.
Komm und sei ein Traumtänzer.

In deinem Mundwinkel kleine Krümel,
im Gesicht leicht verschmiert der
Milchschaum deines Café au laît!
Wie ich hier fühle, so neben dir?
Je ne sais pas, ich weiß es nicht –
oder doch?
Sag du es mir … vielleicht …
… vielleicht weißt du da mehr.
Dein Lachen löst Dinge in mir aus,
kleine Dinge, große Dinge, bedeutsame Dinge,
so viel auf einmal.
Verrückt, oder?
Ja, nein, vielleicht … ich weiß es nicht.
Weiß nicht, was das ist,
was das alles soll.
Zwischen uns dieser runde Tisch,
meine Arme darauf gestützt,
könnt‘ ich dich stundenlang anschauen …
Ist es das, was sie meinen?
Ist es das, was sie Liebe nennen?

Auch, wenn's vorbei ist:
Ich seh' immer noch das Glitzern,
ja, das Glitzern in deinen Augen.
Trotz allem ist es kaum zu glauben,
selbst wenn die Vögel zwitschern,
will ich nicht wissen, dass du nun fort bist.
Wir waren auf diesem Hoch,
ja, du und ich, wir beide.
Wie wir immer saßen auf der Schaukel im Hof,
eng beieinander, eng umschlungen wie Gräser einer Weide.
Ich seh' dich schon von Weitem,
und dann taucht auch auf der Schmerz …
was würd' ich geben, bei dir zu sein,
doch sitz' ich hier allein,
als wär's ein schlechter Scherz!
Als wär' ich dieser knallrote Mohn,
auf einem Acker voll Disteln,
und du? Du bist fort.
Den Mohn hast du längst vergessen,
bist in diesem Garten voll Rosen,
Rosen, so wunderschön in ihrer Blüte,
aber groß in ihrem Schmerz, denn
vor den spitzen Dornen hast du die Augen verschlossen.

Und was, wenn es das große Ende ist?
Das Loch, das immer größer wird,
in das ich immer tiefer falle.
Stimmen, die nur noch zu einem Wispern werden,
diesem leisen, feuchten, neidgrünen Wispern.
Kein Ritter auf dem Ross,
keine gute Fee aus heiterem Himmel,
keine Magie, die uns retten wird.
Eine Welt, Schwarz von Weiß getrennt,
vermeintliches Gut von Böse –
ist es das, was wir wollen?
Tiefe Löcher, wispernde Stimmen, Magie verschwunden.
Eine Welt, die von Bunt zu Grau wird,
schneller, aber langsamer zugleich.
Wo ich laut schrei und schrei und schrei –
und am Ende …
… ja, was ist am Ende?
Ich schrei und
die Welt verschließt die Ohren.

Warum ich immer diese Fotos knipse

Wahllos schieße ich Fotos dieses einen Moments. Um ihn nicht zu vergessen und auch noch Jahre später in seinen Erinnerungen zu schwelgen. Noch einmal diesen wunderschönen Moment zu erleben und all die Emotionen zu fühlen, die sich damals in mir ausgebreitet haben. Ich schaue sie an und muss lächeln. Erfreue mich an ihnen. Meine Fotowand – oder soll ich lieber sagen, meine Fotowände – sagen einiges aus. Sie erzählen ganze Geschichten und drücken so viele Gefühle aus. Für einen Fremden mögen einige Situationen merkwürdig erscheinen, doch für mich sind sie alles. Perfektion vom Feinsten, selbst, wenn das Bild unscharf ist und die Gesichter darauf kaum zu erkennen sind.

Ich schieße diese Fotos, um nichts zu vergessen. Um mir die Angst zu nehmen, dass ich am Ende ohne etwas da stehe. Natürlich habe ich auch manchmal das Bedürfnis, nur zu genießen, aber am Ende des Tages frage ich mich dann wieder: wieso hast du diesen Moment nicht festgehalten? Wieso hast du dir die Chance an eine weitere Erinnerung entgehen lassen? Wieso? Wieso? Wieso?

Ich weiß es nicht.

Ich weiß es nicht, aber ich wüsste es gerne. Wüsste gerne, wieso ich manches so handhabe. Möchte gerne viele Dinge wissen, doch gebe mir nicht genug Mühe, es herauszufinden.

Aber um zu den Bildern zurückzukommen: Ich hänge sie auf. An meine Wände, an meinen Schrank. Mache aus einem Zimmer meine eigene Welt. Gebe dem Ganzen einen Charakter – einen Touch von mir. Von dem, was ich bin – denn das drücken diese Bilder doch aus, oder? Oder machen sie etwas anderes? Es ist auf jeden Fall nun mein eigenes Reich, dieses Zimmer. Denn ich habe ihm mit all den Bildern einen Charakter gegeben und einen Wohlfühlraum erschaffen. Denn auch, wenn ich nun von allen Seiten angestarrt werde: Ich fühle mich wohl. Denn in der Fremde ist etwas, das mir gehört. Die Leere füllt sich mit Erinnerungen, obwohl ich eigentlich selbst noch keine geschaffen habe.
Gegen die Leere. Gegen das Vergessen. Für Erinnerungen an schöne Momente.
Deshalb knipse ich so oft.
Manchmal stehe ich dann da. Direkt davor und muss lächeln. Denn ich hab all diesen schönen Erinnerungen wieder Leben eingehaucht, in dem ich sie gemacht und hingehängt habe. Ich lasse sie leben, obwohl die Momente längst vergangen sind. Ich lasse sie auch dann noch leben, wenn ich schon lang nicht mehr bin …

Schwarz
wie deine Seele.
So ist sie nun,
ihre Welt …
und die seine.
Eventuell auch meine und
vielleicht auch unsere
auf gutem Weg dahin.
Auf dem Weg,
so schwarz wie deine Seele
zu sein.

Mit verbundenen Augen
gehen wir durchs Leben.
Neigen dazu, all die
schönen Dinge
zu übersehen.
Kurz öffnen wir sie,
sehen das Momente-Chaos,
schließen sie wieder.
Drum sagen wir:
„Die Welt ist ein schrecklicher Ort!“
Dabei haben wir
die Wunder gar nicht gesehen.

Ich kenn dich doch

Hallo.

Ich kenn' dich doch.

Und du, du kennst mich auch.

Woher fragst du dich?

Denk mal genauer drüber nach. Denk mal an deine komischen Posen und deine Sprüche. Vielleicht fällt's dir dann wieder ein. Und nein, ich bin nicht die eine von Tinder. Lovoo und Parship ist es auch nicht. Oder generell einer dieser Dating Plattformen. Denn so etwas nutze ich nicht – ich würd's dir aber nicht übel nehmen, wenn du es tätest.

Aber zurück zu deiner Frage. Woher du mich kennst. Mein Lächeln. Mein Lachen. Meine Stimme, die so oft eindringlich auf dich einredet.

Eindringlich auf dich einreden … das machen doch deine Eltern und dein Coach. Manchmal auch dein älterer Bruder, der versucht, dich zur Vernunft zu bringen. Aber die bin ich auch nicht. Ich bin jemand, den du gut kennst – wohl eher meinst gut zu kennen. Denn was du kennst, ist eine Fassade. Das bin nicht wirklich ich. Ich zeige dir nur die Seite, die ich dir zeigen möchte. Zeige dir den Teil von mir, der mir am liebsten ist. Zeige mich von der besten Seite. Für dich. Und doch verwebe ich mich immer wieder in diese komischen Situationen, wenn du in der Nähe bist. Wenn du mich anschaust, dein Blick auf mir ruht. Deine klaren, weichen Augen. Wenn ich wöllte, könnte ich deine Augenfältchen vom Lachen nachziehen – wie gerne würde ich das machen. Wenn du vor mir stehst, ich mit dir spreche und eigentlich alle Hemmungen verliere, aber mich im Nachhinein doch frage, was ich da eigentlich von mir gegeben habe. Merkwürdige Dinge, aber dennoch Dinge, die von Herzen kamen. Ich kann nicht klar denken, wenn du in der Nähe bist. Alle meine Gedanken verdrehen sich und raus kommt Gesabbel, von dem ich sonst nie sprechen würde. Im Traum vielleicht, aber eigentlich ist es etwas, was ich eher für mich behalten würde.

Wenn du verwirrt das Gesicht verziehst. Die eine Augenbraue nach oben ziehst. Dann schaue ich dich an. Beobachte dich und fange an zu grinsen. Heimlich und ganz leise. In der Hoffnung, dass mich keiner sieht, denn sonst wüsste es ja jeder. Sofort. Just in diesem Moment.

Wir kennen uns.

Woher?

Überleg' doch mal.

Es war ein seltsamer Moment, in dem wir uns das erste Mal gesehen haben. Ich habe sofort deinen Namen vergessen und du meinen wahrscheinlich auch. Ich weiß aber, dass du Blumen magst und wir noch so gewisse andere Dinge gemein haben. Welche Dinge? Tja, das bleibt ein Geheimnis. Das musst du vielleicht selbst herausfinden. Aber wer weiß, vielleicht gebe ich dir ja einen winzig kleinen Hinweis darauf.

Ich habe einige Zeit verbracht, dich zu beobachten. So ganz heimlich. Und ich glaube auch – nein ich weiß, dass du mich

auch heimlich beobachtet hast. Aus diesem kleinen Fenster. Vielleicht nicht aus denselben Gründen wie ich, aber du hast es getan. Und ich … ich fühle mich geschmeichelt. So sehr geschmeichelt, dass ich rot werde.
Wenn wir schon mal bei der Farbe der Liebe sind. Ich wird' immer ganz rot, wenn ich dich sehe. Jemandem von dir erzähle. Oder über die Träume nachdenke, in denen du vorkamst. Dann sind meine Wangen ganz heiß und ich kann einfach nicht aufhören zu grinsen. Ich muss einfach meine Freude mit allen Menschen teilen. Am liebsten würde ich es ja in die weite Welt hinausrufen, aber das wäre dann doch etwas zu viel, oder?
Ich schließe meine Augen und sehe dein Gesicht. Wünsche mir irgendwie, dass du es auch so tun würdest. Aber wer weiß, was in deinem Kopf vorgeht. Obwohl ich so einiges weiß, wirkst du dennoch so rätselhaft. So wahnsinnig rätselhaft, dass ich einfach nicht dahinter komme. Und irgendwie zieht diese rätselhafte Aura mich an …
Aber zurück zu der Frage. Woher du mich kennst. Wir uns kennen.
Ein witziger Zufall war es. Wir beide. So oft an diesem einen Ort. Umgeben von allen möglichen Menschen. Teilweise Menschen, die wir immer wieder sahen. Ein spezieller Ort, an den dich schon der Duft von außen zieht. Die Massen zieht es an. Alt und Jung gemeinsam. Alle sitzen sie dann eng beieinander und schauen gebannt in diese eine Richtung. Ein dunkler Saal. Rascheln von Tüten. Ansonsten Stille. Ab und zu vielleicht Geflüster oder ein „Entschuldigung, darf ich kurz mal durch?"

Und wir zwei und eventuell auch noch andere – draußen. Außerhalb dieses Saals. Mit anderen Aufgaben beschäftigt. Jeder mit seinen eigenen. Und wenn der Saal sich leert, dann schnell rein, um alles von vorn zu starten …
Weißt du jetzt, woher wir uns kennen?
Von diesem Ort, an dem in den Augen manch eines Menschen kleine Wunder geschehen. Herzen aufgehen, schallendes Gelächter erklingt und mal die ein oder andere Träne herunterrinnt.
Daher kennen wir uns.
Und ich wünscht', ich würd' dich näher kennen, vielleicht auch beim Namen nennen.
Kann ich aber irgendwie nicht. Vielleicht will ich es ja auch nicht und will lieber in meinen Gedanken schwelgen. Über dich und die Welt.
Aber vielleicht weißt du durch all die Worte jetzt, wer ich bin und vielleicht auch, was ich dir hiermit sagen möchte. Aber nur vielleicht.
Ach ja, ich habe dich ja mit einem „Hallo“ begrüßt. Daher möcht' ich mich noch anständig verabschieden. Jedoch muss ich davor etwas über meine Lippen bringen. Und nein, es ist kein Liebesgeständnis, das ich versuche, zu erringen. Nur einen kleinen Satz, den ich auch nicht möchte singen.
Wohl gemerkt sei er und auch nie vergessen, denn wie sagt man so schön: Niemand sagt Tschüss – außer dieser jemand möchte dich wieder sehen. Und genau deshalb tu ich es.

Tschüss, sagt die nun nicht ganz so geheimnisvolle Fremde zu dir.

Auf Wiedersehen!

Wir dürfen nicht schlafen. Auch, wenn uns allen die Augen zufallen. Sonst ist es zu spät. Oder war es bereits zu spät? Wir wissen es nicht. Keiner hatte den leisesten Schimmer, was uns erwartet. Auch sonst wissen wir nicht viel, nur eines: wach bleiben. Einschlafen würde fatale Folgen haben.
Ich halte mit Mühe die Augen offen. Diese fallen immer wieder zu und immer wieder erwische ich mich dabei, wie ich erschrocken zusammenfahre. Mein ständiger Blick auf die Uhr sagt mir, dass ich alles richtig mache. Ich schlafe nicht. Keiner von uns tut es.
Langsam lasse ich meinen Blick durch die Runde schweifen. Müde Augen erwarten mich. Leere Blicke. Müde und leere Blicke.
Ein Rascheln aus der Ecke, das meinen Blicke auf sich zieht. Und nicht nur die meinen.
Unsere Blicke treffen einander. Es ist, als ob uns die Erkenntnis gleichzeitig trifft.

Fühl die Spiegelung in mir
Seh' die Begegnung mit dir
Wünscht' doch du wärst hier
Und schreib alles nieder auf Papier

Seichtes Wasser, gespült an meine Zehen
Kann schon von weitem deine Silhouette sehen
Sehn' mich danach zu verstehn'
Was wir ineinander und aneinander sehn'

Tanzende Sonnenstrahlen umspielen mein Gesicht
Öffne die Augen, um zu sehen welche Stimme spricht
Blicke dabei in diese fremd-vertrauten Augen
Augen, die mir tagtäglich den Atem rauben.

Die Decke mit Stuck verziert
Mein Atem gefriert
Denn die Wände ziert
Ja, was? – Ich verschließe nur die Augen

Ja, manchmal, da wünsch ich mir, ich wär‘ woanders. An ‚nem anderen Ort, verwunschenen Ort, einfach nur fort. Weg von hier, von allem, aber vor allem der Realität. Will flüchten in meine Traumwelt, sag dann doch nein, und bleib‘ hier. Hier, in dieser Welt, unter Menschen, unterm Himmelszelt. Gedanken hier, Gedanken dort. Ich beobacht‘ euch von Weitem, habe meine Bilder im Kopf, Gedanken im Kopf, Essen im Topf? Äh … nein… falsch, kein Essen, kein Topf, es geht doch um Gedanken im Kopf. Ich seh‘ die sonderbaren Blicke, während ich mich vor Arbeit drücke. Die Blicke, die mir sagen wollen: „Warum schaut sie so?“, „Sie gehört hier nicht her?“ und „Boah, warum müssen diese Leute überall sein?“
Ich ignoriere die Blicke, denke weiter, bild‘ ‚ne Leiter – aus Gedanken natürlich. Worte schwirren, wirre Wort irren, verirren sich im Kopf. Landen an der falschen Stelle und plötzlich lande ich bei Evo-Devo und Froschlaich. Okay, bin wohl zu sehr abgeschweift und verwerfe den Gedanken wieder. Leg mich hin, auf die grüne Wiese, schließ die Augen und fühl‘ mich mal wie‘n Riese. Träume mich in diese Welt, weit, weit weg. Nicht mehr die Realität, nicht mehr diese Welt, dennoch dasselbe Himmelszelt. Eine Welt mit besseren Zeiten, wo sich selten Menschen streiten. Alle Seite an Seite in Harmonie nur leben, und sollte mal die Erde beben, so vor Glück und Freude aufgrund all der Liebe zwischen den Gestalten, die äußerlich unterschiedlicher nicht sein können, aber tief im Inneren dann doch wissen: Hey, du und ich, wir mögen zwar Flecken und Streifen und Punkte und Tupfen haben. Der eine mehr, der

andere wohl weniger. Doch tief im Inneren bist du wie ich, strebst nach Glück. Drum schenk ich dir mein Lächeln, meine Freude, meine Liebe. Denn am Ende teilen wir dasselbe Stück Wiese.

Ich wach auf, lieg immer noch da, im grünen Gras. Ob ich zurück in diese weit entfernte Welt will? Klar! Denn am härtesten ist immer das Erwachen, ohne hysterisch zu lachen. Denn eins weiß ich immer, und der Gedanke wird immer schlimmer: diese Traumwelt zieh ich vor und wär‘ ganz Ohr, wenn ich nur wüsst‘, wie ich wohl dorthin find! Denn das, was ist, das, was ich seh‘, mag ich am liebsten vergessen, nie wieder sehen. Kurz beobacht‘ ich, seh‘ die Brücke, die Gruppen, die Zicke, den Schuppen. Ist wohl alles wie's vorher war. Alle zwar verschieden, aber keiner verstehend, dass sie den gleichen Wunsch hegen – vom schönen Leben. Ich sag was, doch keiner hört's. Ich schrei was, doch sie hören's einfach nicht. Ich gestikuliere wild, sie verschließen die Augen. Schwinden in ihrer Blase, schweben davon. Wie lang es wohl dauern wird, bis sie platzt? Ob sie jemals platzt?

Ich zucke mit den Schultern, schließe die Augen, um kurz zu entkommen, Kraft zu sammeln, um erneut die Worte zu stammeln, mich zu sammeln. Zu reden, zu schreien, zu gestikulieren, bis sie endlich die Blase verlassen oder sie vielleicht auch platzt. Damit sie endlich mal sehen, es sich gestehen: ich bin auch wie ihr, ich bin auch nur ein Mensch!

Danksagung

Wisst ihr, ich bin jetzt 23 Jahre alt und manchmal frage ich mich, was ich eigentlich mache und ob alles richtig ist, was ich mache. Ich war 19, als ich mein erstes Buch veröffentlicht habe und ehrlich gesagt ist es jetzt immer noch genauso aufregend wie beim ersten Mal. Ich kann es tatsächlich nicht glauben, selbst wenn ich das Buch dann am Ende in den Händen halte und es dann in meinem Regal steht. Klein-Navika wäre stolz auf das, was ich erreicht habe und das ist eigentlich immer mein Ziel gewesen. Dass ich zurückblicken kann und weiß, dass mein jüngeres Ich zu mir hochschauen würde. Ich bin sehr gespannt, wie sich das mit meinen Büchern weiterentwickelt und ich hoffe sehr, dass ich meine Leser*innen auf dem Laufenden halten kann. Eine Sache, die ich allen mit auf den Weg geben möchte: Jede*r kann schreiben. Das kann wirkliche jede*r lernen. Und wenn ihr ein Buch schreiben wollt, dann tut es! Was hält euch davon ab?
An dieser Stelle möchte ich auch ein paar Menschen danken. Wie immer eigentlich. So funktionieren Danksagungen (zumindest wurde mir das so gesagt). Zum einen möchte ich meiner Lektorin Isa danken, die immer meine sehr, sehr langen Sprachnachrichten anhört und mit so viel Herzblut meine Texte lektoriert. Ein Hoch auf Schokomilkshakes an dieser Stelle.
Und dann möchte ich noch allen Menschen da draußen danken, die meine Bücher lesen und sie auch gernhaben. Danke, dass es

euch gibt! Ja, damit bist auch DU gemeint, weil du es tatsächlich bis zur Danksagung geschafft hast. Ich danke dir!

Lightning Source UK Ltd.
Milton Keynes UK
UKHW021118260821
389498UK00010B/463

9 783754 306765